无诗之诗

1983-2019 作品选

正　轩　著

文　史　哲　诗　丛
文史哲出版社印行

国家图书馆出版品预行编目资料

無詩之詩 / 正轩著 -- 初版 -- 台北市:
文史哲，民 108.12
页；　公分 --（文史哲诗丛；145）
ISBN 978-986-314-503-5（平装）

851.486　　　　108021811

文史哲诗丛 145

无诗之诗

著　者：正　轩
出版者：文史哲出版社
http:// www.lapen.com.tw
e-mail: lapen@ms74.hinet.net
登记证字号：行政院新闻局版台业字五三三七号
发行人：彭正雄
发行所：文史哲出版社
印刷者：文史哲出版社
台北市罗斯福路一段七十二巷四号
邮政划拨账号：一六一八〇一七五
电话886-2-23511028 · 传真886-2-23965656

定价新台幣二四〇元

二〇一九年（民国一〇八）十二月初版

ISBN 978-986-314-503-5　　09145

自　序

初学写诗的人都会问：什么是诗？谁称得上是诗人？

先说第一个问题。什么是诗呢？这个问题似乎简单，却最不好回答。这不像在课堂上对学生说：有诗意的韵文，那就是诗了吧。

对于一些诗歌写作者而言，诗确乎有些“神圣”。她，就象一座冷山，立在隐绰的天边，闪着诱惑的光焰，等待你走近。

“人问寒山道，寒山路不通”。诗，不好说，也说不好。

我的“诗观”很浅白，那就是《诗，就像我们的呼吸》

诗要自然　随意
譬如脱口而出——
关关雎鸠，在河之洲
喉咙里没有一丝阻碍
也不必嗫嗫喏喏
就坦白说：
窈窕淑女，君子好逑
诗无邪，也无霾
每个方块字

就像我们每天的呼吸

那么诗人呢？写了几十年诗，也见过很多诗人，但我也说不清。

有的诗人说：写诗，是与神灵相遇，就像迷失在桃花源的渔夫，在时空的野渡口徘徊，不知置身何处，不知路在何方，忽然灵光乍现，柳暗花明。

也有诗人说：他们为了一个微笑，无数个瞬间，每天都在回味，每天都漫步在语言的天堂里。

还有诗人说，写诗的人都有一种“病”，就像唐代诗人贾岛，为了找到一个词，反复做着“敲门”、“推门”的行为艺术，于是有“僧敲月下门”的名句。这难道不是病态吗？

这样看来，诗人即便不在圣坛上，也不同于“我们”。

但对这些话，我都很怀疑。因为，这样的诗人并不多见。

我写诗近四十年，对“诗”和“诗人”的看法还如此混沌，看来也只能这样混沌下去了。不过，我确信一点：诗，可以为家，那是一块仅属于一个人的心灵福地。

这本诗集，是我数十年中诗歌写作的一本选集。一路走来，人情物事如见如闻。敝帚自珍，即在此中。

是为序。

无诗之诗

目　次

一个人的面孔

后　山

如果我是一座山
那也是后山，此处
风景平淡
只有鸟在散步
只有老山羊在自言自语
野风吹来，山
十万年前拱起的海洋
如此安详，今生
我只要一棵树
和山泉中漂泊的
珊瑚

边 地

传说中的边地
浮于云上
我踏着哈尼梯田爬上去
一直爬上去——
明晃晃的水啊
用如此明眸看着我
天在镜中，人在镜中
万象皆在镜中
诗无邪，已无诗
只有莲花在吟唱
只有洗过的灵魂
为它护法

秋　思

秋水般的眼神里
那个夜晚如白鸽
扑楞扑楞地，飞远了……
窗外，风卷残荷
烛火又挣扎了一下
灭了
琴弦上，手指上翻卷的音符
都是鲜红碧绿的往事

所谓人生

人的一生，从早春开始
八千里路云和月
准确讲：是上百个地点
遇见千万个人

或许会留下几个特写
过场而已
你还没来得及回味
就 Fine，完。

所谓人生
其实是另一个酒桌上的
佐餐，不用 2 小时
子虚乌有
就讲完了

就像辛波斯卡的诗说的——
要描写云朵
动作得十分迅速
转瞬间，就幻化成别的东西

日　子

无色
无名
天地之间，一个人
一个人也欢喜
树就是树，山就是山
如见如闻——
每朵花儿只有一种姿态
有了你，才有许多种表情

诗，就像我们的呼吸

诗要自然　随意
譬如脱口而出——
关关雎鸠，在河之洲
喉咙里没有一丝阻碍
也不必嗫嗫喏喏
就坦白说：
窈窕淑女，君子好逑
诗无邪，也无霾
每个方块字
就像我们每天的呼吸

石榴树

山上的石榴树
生出了许多野孩子
他们住阁楼，和蜘蛛睡一起
夜里攀着红灯笼
在天空摇啊，摇
玩皮的风都会调情
也很轻浮
“嗖”——
吹在脸上
那一瞬，已胜过一万年

树知道

一棵树，两棵树，三棵树
还有许多树
它们活着，它们老去
都知道对错
橘生淮南则为橘
生于淮北则为枳
它们花开，它们结果
都知道对错
树知道对错，但不说话
除了风来的时候
从来不说话
只有路过的人
叽叽喳喳

断　想

之一

我们出生时，身体上
留了几个伤口，除了
裸露部分
是不该看的

之二

在悲伤中悲伤
在愚蠢中愚蠢
然后遗忘
身后，空无一物

之三

我是海水
有了风，就成了波浪
你是琴弦
有了手指，就成了乐音
如果没有风和手指
我们，只是我们

听 海

因为蓝月亮，小船搁浅
在沙滩上
沙滩——
大海留下的空白
忘了彼岸，甚至忘了
岸边的影子
春暖花开的季节
棕榈树想伸多高就多高
关关雎鸠想叫多响就多响
清晨
我，一条庄子的鲦鱼
听着海
和你每天的呼吸

听鸟说话

鸟用它们的语法
说话，语言在表达——
简洁　清亮　通鸟性
鸟语唧唧
你说还有
翠柳、西岭、雪
和杜甫的
门泊东吴万里船
就扯远啦——
只是鸟在说话
声音之外一无所有

不会说话

一间装饰华丽的客厅
我交叉着手指
和茶杯里冒出的热气一起微笑
鹦鹉瞪大了眼睛
喊着街头哑巴皮匠的名字
我忽然不会说话
看着怒放的水仙生而复死，死而复生
就是不会说话
失语是可怜的地中海沉船
金子在海藻里发光
海盗穿行而过，却十分愚蠢
我不会说话
“现在是 x x x 节目时间”
我跟着说了一句
奇怪，我又回到了熟悉的世界
当我走出客厅
主人微笑着送我出门
鹦鹉喊著我現在的名字

我 傻

我不会猜谜
也不懂狗的眼神和猫的表情
所以我傻
我相信每天都很正常
路上遇见的都是好人
没有小偷、骗子和拐子
所以我傻
我相信生活就是儿童漫画
白就是白，蓝就是蓝
蒙娜莉萨只有一种微笑
所以我傻
我相信路上没有陷阱
粮食和蔬菜买回来就可以吃
医生和病人都很友善
小区的门口不需要保安
所以我傻
我相信报纸的头条
就是一条普通的新闻
这个世界也不需要大 V
来告诉每个人活着的意义
所以我很傻
以至无可救药

我的小确幸

请你来吧，这里
有酒，有茶
有好天气
有和风吹来
有鸟语
有开满鲜花的院子
有爱撒娇的狗
有沉默，和你自己

悟道者

神鸟，一个影子
掠过
栖往生生之地
古老的飞行
年复一年
只有山峦、群星能懂
只有受孕的鳕鱼能懂
你也在其中：
一半透明，一半猜详

一个人的月光

百合花，睡在它的深处
就让它睡吧
一个人的月光
不悲不喜
悠游于每个日子
之上

有个下午无法命名

有些地方只适合
漫游。就像鸟
飞，只为自得其乐
水面　吹乱的波光
陌生　可疑　支离破碎
窗
阁楼
橘子树
各执一词
却找不到语法
直到夜晚，萤火虫
翻墙而来
它认得桑葚渍染的少年
并且知道
你在其中，没有远方

雨　季

在雨季，心也会发霉的
白天如同夜晚
细雨淅淅沥沥
敲击你浅灰的
情绪
时钟，一如潮汐
时断时续
在雨季
一切都象解不开的谜
你这头古朴的老牛
竟毫无画意

空棘鱼

海的隐喻，刻在
每一道花纹上
你自由自在
甚至懒得游动
血色的太阳
凝固于泡沫飞扬的礁石之上
化为虚无

你向我游来
让我猜谜
我翻遍了辞典、圣经或古兰经
却找不见你的踪影
一如潮汐　你
来了，走了

长白山，一棵树

天地交媾
苍穹之下生出一潭好水——
天池
乃神来之笔
素颜，湛然，雾来如仙
在葱茏九千旋的山顶上
我愿意做一棵白桦树
与你对饮
半天，或一万年
今晚：你若花开，清风自来

缘来缘去

我不再是这个世界的
梦游者
或许会成为一块
石头
在山上仰望
或随波逐流

有一种喜欢是寂静的

雪无声，无痕
树和树的姿态
最好的相处之道
飞鸟，掠过的影子越来越淡
我们假装不关心
也不多看一眼
就这样，有一种喜欢是寂静的
溪水汩汩流淌
雪不下了
褐色的原野又露了出来
圆顶的谷仓指引我们回家

下雪了

白，黑，大色块
小城缄默
趁着夜色出逃
雪天，我们都住在火星上
找不着北
酒杯中的异乡
掩埋了灯火、大桥和车流
我患了失忆症
以至雪还在下
就开始念叨下一场雪

无诗年代

21 世纪的爱情

楼道口
高跟鞋忙碌走过
对面阳台上
有女子在凉内衣
有人在街拍
男女之间
敬请“非诚勿扰”
所谓爱情，请耐心等待——
结果将在下期节目公布

边际人

山岗上，行走的浪人
遭遇雾霾
星星不说话

不明飞行物
划过村庄，不知所终

麋鹿有双混沌的眼睛
只剩一滴眼泪
我也在其中
正在滚落

罗曼蒂克快速死亡

城市的纯真年代
少年的目光会爬墙
窗是目的地

窗半掩，就成了悬疑电影
话说：深秋月光下
沿街的碎花窗帘后，身影浮现
人间喜剧有了张力

今天，我们的城市
是一个巨大的橱窗
男人在街头喝咖啡——
少女的肚脐在闪烁
窗已经死亡

过　年

我们都着了魔
与焰火、微信红包和春晚主持人
一起高呼“5-4-3-2-1”
时间逃亡
新年的钟声敲过
我们又在黑夜中
以梦为马
忙着追赶
刚溜走的狐狸——
它一路向西，已越过山丘
才知道寂冷的荒野
没有祝福，没有词

后　来

阿波罗登月那天
篱笆墙内的南瓜还没长熟
后来
GPS 开始精确打击
方言和民谣
后来
我们漂泊的灵魂
飞往火星
开始寻找新家的着陆点
后来
我们成了麋鹿
会在树林中奔跑
却无法分娩种群
后来，或许已没有
后来

拆　字

有人在大墙内
把羊脂白玉塞进袖子
有人在扒城墙
取汉砖，砌猪栏
还有人如丧家之犬
活着，死去

科穆库斯山

爪哇人的命中
都有三种植物：
金桔，芒果，香蕉
熟了，就摘下来一顿饱餐
随心所欲的五月
身体　不再是一个
禁忌
在海滩上，没有熊出没
只有白色的海星星
散落一地

梁　祝

梁祝，在传说里死了
死在十八里相送的白云之上
死在穿过大半个中国
去睡你的月亮之下
今晚，我知道
浪漫的蝴蝶死了两次
之前，在碑前哭了两次

没有你说的诗和远方

对不起，当你们大声朗诵
某诗人的大作
诗已死亡
狗血，装×，假高潮
诗歌节　就像观赏
赶尸队伍降临
巫师，那个诵经者
就像喝了迷药
正超度亡灵
请继续，诗在升天

大地缄默不言

只有《诗经》在说：
其实，不远的村头
就流淌着一条好河——
她比传说更浪、更无邪
而且
大河之外
没有你说的诗和远方

请原谅我

坐在灯光中
读线装书，与阴影对话
晚上我做了个噩梦
但没有叫醒自己

偶尔也翻开相册
望着爱过的人，泛黄的脸
还那样看着我
已没有悲伤

很想从头开始
但一直走在熟悉的路上
笑容，还挂在嘴边
也只是日常的仪式

每天都是新的早晨
在地铁熙攘的站台上
请原谅我，看着你
已没有信心

诗　人

写诗是一种病
没有人同情你
甚至没有人
想知道病的缘由
你漫游在爱或痛的中心
纸笺上的语词
疗伤的处方
多年后，亭子间还在
你站在影子的边缘
一个幽灵

诗与大卖场

在大卖场
有人把拖把、手纸、洗发液
和《北岛诗集》……
从购物架扔进手推车
到收银台结账：
“物品八折，诗集五折”
我看见愤怒的诗人
伸出双手呼喊：
“我不相信——
那是五千年的象形文字，
那是未来人们凝视的眼睛”
大卖场熙熙攘攘
没有人《回答》

书 生

背着雨伞和线装书
行走在路上
走了五千年还在走下去
行走，信奉的宗教
只有一个结果
兵痞玩弄你
村姑调笑你
野狗追逐你
你仰天长叹
笑自己“百无一用是书生”
夜里，你问孔子：
明天会怎样？
孔子不言不语
书生顿悟
在网店上售卖《漫画论语》、《厚黑学》
和《知识分子都到哪儿去了？》

微信时代

武媚娘，胸部失踪成谜
把多少人带进
Web 剧透聊天群
我们呆萌　嘴甜　会抖音
甚至不用抠图替身
就会变成流浪猫
和光头强穿行在丛林里
80 岁也能返老还童
可以和熊大熊二数星星

文字原是一张皮

10：30，我说的是某天
与海关钟声一起散去
我喝着苦丁，手指拨弄茶水
阳光伴随涟漪
在半途中一点一点消失
顺手操一本《读书》
学者在诗论口述历史、
民工潮和独立纪录片
还有“凭什么独立的法官
比民选政客更有权威”
我与茶水一起发晕
文字原是一张皮
心却留在黑洞深处

无诗年代

读你的诗
希望它抓住我
而白纸上的每个字
像街头的假乞丐
脸无表情
诗死了，据说还有诗人

再见，巴山夜雨

送别的人走了
旅行的人还在途中

此刻，送别的人和旅行的人
正在手机上分享
窗外的巴山夜雨

以及雨天灯光下
闪烁的笑脸
下着的，说是一场普通的雨

北方也在下雨吗？
屏幕上又送来一张笑脸

且听风吟

北　方

一棵树的种子，吹到了北方
土壤不一样
但它长成了树
春天，南风吹来时
运河水
会捎来老家的水红菱和乡音——
心生怯怯
甚至绝望
甚至只有一个祈求：
下雨天也很好
只是要象一场南方的雨

爱　情

你们，不止俩人
沿着初春的小溪
走来。樱花
白茫茫一片
开在地平线之上
浅滩边，独步的野鹤
遥远，荒凉
因为你们
我站着，不肯离去

禅　味

黑夜
跟踪阳光

篝火
照亮记忆的荒野

静默之间
诉说的陶碗

游走的受精卵
开始呼吸

你和我
相向走过街头

祷　告

他抬起头，看到有匹猩猩
奔跑在非洲的草原上
那荒芜的尽头
有自己的前生
看，那个光着脚丫的小孩
正跑在秋天的云上

灯

因为怕黑
所以点灯

书房灯太神秘
客厅灯太华丽
广场的灯是装饰灯

惟一的灯
自燃而明
它穿透语言的丛林
照亮一个人的旅程

等待一场雪

整个小城都在等待
一场雪，就像
初恋少女等待男友
怕他不来，又怕他乱来
雪还在犹豫
或许不来了
许多诗句就浪费在那里
或许来了呢，你又说：
这也算下了一场雪？

芳 华

谁还记得
那清晨的薄雾里
那老井前
那花格的睡衣
那汲水的背影一弯腰
那在打湿脚趾后
“啧啧”的语声

那扇“咿呀”的门
和爬满幸福的紫藤花
一直尾随你——
那清晨的薄雾中
那汲水的背影
那一个人，以及
一座城的芳华

给雨果的诗

雨果，不是法国人
阿婆说：是马来人
因为你不白　眼睛黑
我说：雨果啊
是我们家领养的大熊猫
因为你爱嬉水，会撒娇
会抓起东西往嘴里塞

你拍打着婴儿车
抗议说：我不是马来人
不是大熊猫
我是中国苏州
八个月大的董雨果
我爱逛马路
我爱凑热闹
如果我高兴，还会逗你们哈哈笑

蝴蝶的秘密

紫藤缠绕栅栏
沿着走下去
一个人的路没有尽头
偶一回首，看到蝴蝶
掠过——
你知道
她飞行于自己的路上
明年还会飞回来

花

释迦牟尼藏在花里
问：你们看到了什么？
有人吟了一首诗
有人把它栽在盆景里
还有人拈花而笑
说看到了佛
路过的农夫说：
我看到了春天
那爬满山坡的野花

化石鸟语

飞翔是一个谜
就像凝固也是一个谜
你站在我面前
试图猜谜

猜谜是一种智力游戏
但你无法听懂我的语言
你要询问会飞的人
他能告诉你这个谜底

或者把我打碎
让我再次飞翔
我会搞一次新闻发布会
然后飞走

记忆是一匹马

走在枫叶小道上
窣窣的响声好像在问：
时间都去哪儿了？
少年的影子拽着灯芯草
走啊走，走在前头
路边的长椅上
老电影的七八个吻戏
还数得清楚
可是，它们都老了
我还在走，像一匹马
不知疲倦
走在只有云、鸟和炊烟的
慢悠悠的路上

时间都去哪儿了

站在老屋前问自己
时间都去哪儿了？
燕子飞过，已不认识主人

看到年轻人还会问自己
时间都去哪儿了？
月洞门下的笑声换了新人

晚上，与少年的自己聊天
“后来你都去哪儿了”
只记得坐在时间的船上
一路闪过
春的油菜花，秋的橘子林

送信的人走了

送信的人走了，铃声
穿过大半个世纪
和小巷一起沉默
候鸟，与远方一起消失
送信的人走了
（这次真的不回来了）
多年后，谁还会记得
窗下，那读信的声音：
“冬天来看雪，还是看梅花？”

天门山

让我睡在白云之下
听布谷鸟唱歌
天门，鹰的宫殿
（攀岩者的重生之门）
屹立于事实之上
身体的裸露部分　只需要
小麦、面包、酒和盐就够了
我知道，野山中有上千棵树
我只属于其中一棵
那就让它
生长在金鞭溪边的小屋吧：
天冷了，家人闲坐，灯火可亲

武隆之夜

武隆之夜十分可疑
久违的星星
踮起脚就触手可及
呼吸，已感觉陌生
我走在原始的
黑
真实，可靠，让我脚踏实地
仙女山的夜很长
却绝无暧昧
也不会像另一个叫城市的地方
只有睡眠，但没有夜

西藏印象

西藏，所有的印象
是挂在天边的一抹云

喇嘛蹲在山坡石级上
如单纯、温暖的土陶罐

我就做一条湖中的鱼吧
游在蓝天下
湖，自由的故乡

珠穆朗玛，8843 米的屋脊
标出虚无的高度

一个裸体女人和猫

客厅里，赤裸的女人
与猫相视
上演紧张的战争——
互相打量，却一无所得
猫来回踱步
她，已娇羞不禁

女人是天真的
猫是天真的
她们相约，向天河飞去
把问题交给德里达

月光，其实只是月光

雨　天

只有一种色彩
而且每个人只有一个表情
打湿的羽毛飞不起来
你来回踱步
其实没走多远
甚至听不见时钟的声音

雨中的荷花

雨中的荷花
那么漫不经心地盛开
你每一轻颤都是谜语
多少路过的人
也猜不透你处子的笑容
初夏时节，你醒了
飘来十里清香
今夜，池塘涨潮
我还在一笔一划，写着
关于青蛙的故事

非“女性主义”之美

之一

小鸟站在黑的门框间
为你唱赞美诗
你是女人，自然布下的秘密
将在绝望时诞生
你的微笑，每个呢喃的瞬间
只有孩子能听懂
只有天使能听懂

之二

你们都是女人
手牵手，像一对姐妹
谈论衣服和护肤霜
在院子里分享同一个秘密
比较各自的男人——
而结果只有一个
他们竟如此想象
你们都是女人，拥有
同样的伤感和甜蜜

甚至在月亮爬上树梢的时刻
拥有同一个枕头
以及同一个结果

之三

故事的开端：有关爱情
高潮，一个细节就完成了两个人的一生
而结局只有一个
为姓氏的繁衍
大年夜，女人点起香火
在家门上贴着大大的“福”字

谁的窗没有关?

下雪了
白色的野狐如期而至
白色的银毫落在水杯
正好煮茶
夜在生长，这才像夜
谁的窗没有关?
雪，还在无声的下

情　调

粉墙黛瓦　白与黑
小桥流水　诗与画
杨柳岸，小蛮腰
相映成趣一千年

“栀子花，白兰花……”
唇红齿白
到了秋天，就变成一地桂花
猫记住了花，成了花猫

“笃笃笃，买糖粥”
买一碗烟火味
正好浓妆淡抹
一个色香味的江南

历史的不同叙述法

一个幽灵的
最神圣的时刻
有人端起枪
瞄准
肯尼迪总统
扣动扳机
就这样简单

今天　那把枪
陈列在历史档案里
肯尼迪总统
躺在文字和图片中
关于总统的死
官方调查、历史学者和街头艺人
争得唾沫飞扬

档案记录：
“打枪的人跑了，
后去向不明”

记者跟踪目击者口述
报导侠客传奇

半个世纪后
维基写手还在击鼓传花：
“此人拿到一笔钱
每天喝得烂醉，后来……”
今天还在点赞更新

那个总统那个枪手
那把枪
那声惊悚的回响
组合成N个版本
关于它　唯一的真相
穿越在超文本里

两天一夜

关于一个人
be or not to be
面包，或良心
你投给谁？

该你投了——
上帝啊
那道选择题
和质地、属性、张力有关
和一个人的炼金术有关

有人换了一套试题
两天一夜的答案
竟如此简单　甚至
美妙至极

小说家

街头，每个日子
都上演哑剧。有位少女
捡到一本相册
就想去找来自星星的你

“如此的良辰美景
向何人诉说？”
女孩说：这是天使
找人的街头暗号

此刻，她正走过窗外
酒吧歌手唱着：
那只镜框里的蝴蝶
没事为啥要飞？

客　店

在荒野里伫立
像一位好客的大妈善待每个人
无论村妇走卒，或乞丐强盗
都可以到此歇脚
每个客栈都有一床好被窝
今晚好好睡上一觉
明早就忙着赶路
或许不再回来
驿站，也会带着忧伤
送别后来的人生

尺八中的乡音

父 亲

我的家，是父亲从山上背来的
黄石垒砌的小屋
在时间的风蚀中
一点一点皲裂了
他亲手栽下的树荫
只有鸟儿还记得
能看到暖色的天堂
如今，只会让人叹息
我的家只留了一只陶罐
摆放在我的书房里
它静穆无语，如父亲
从地里收工的微笑

初　春

春天醒了，二月的剪刀
裁出柳丝
装饰小桥下的窗
你，也许是你
照例撑着雨伞走在画框里

春天醒了，水照样地流
旧年的乌篷船
行驶在缓慢的路途上
还不到烂漫季节
风很柔，炊烟
不留一丝痕迹

春天醒了，夜深人静时
年轻的妈妈唱起了
儿歌，不入调
风却是那样柔

父亲的月光

秋的傍晚，湖荡里
放养的鸭子都已回家
山坳的月光那么悠长，
我被吞没于那么悠长的思念里

父亲从地里收工了
炊烟升起的时候
月光下，我的黄石小屋一片安详

那天的月光是我和父亲的
多年后记起往事
灯亮着，却找不到回家的路

过 客

记忆的驳船穿行于“咿呀”的橹声中
河埠上，背影如花似玉
清脆的捣衣声
少年煽情的口哨
随早春的梨花
一起散去了
我其实是故乡的过客
是打更人的沙漏落下的细沙

回到老家

小黄狗领着我
走进悠长的巷子里
门栓打开，阳光
从天窗洒向脸上
恍惚间，谁呼唤我的乳名？
村头的河水还在流
熟悉的脸都老了
我们说起往事
脸上的笑灿烂如昨

记　事

我们，四个男人
在客厅打牌
女主人为我们续水，烧菜，做饭
偶尔　坐到男人身边
指点迷津
那个新年生动入戏
没有人知道
谁多看了一眼
脸上就挂起了红灯笼

看　戏

菜花黄了，麦田绿了
南瓜藤望上爬了
远处的村上升起炊烟了
少年坐在牛背上了
我跟着故乡的影子
看戏去了

露天电影

我的记忆已挂在夜空
那棵村口的大树上
多少次坐在露水打湿的地上
啃着手指头
等待一个叫冬妮娅的浅笑
多少次在少年的黑夜里
点燃篝火，让我醒到后半夜
今晚的月亮像一条小船
少年不见了
小船，也到不了我的天堂

写给黑子

黑子，邻居都这么叫他
他爸妈在南方
我住他楼下
那天，黑子结婚
很神气，朝我做鬼脸
戴红花的黑子有了一个家

黑子无业　爱赌
新婚夜，入了洞房
还赶到牌桌上游湖
夜深时，只听得新娘子
“黑子——黑子”的喊声
黑子像狗一样冲回家
把门摔得震天响

黑子就是爱赌
后半夜，总到我窗下：
“喂，借点钱，救急！”
我醒来，从窗口把钱递给他

黑子拿了钱就上战场

第二天，黑子来还钱
我问“赢了？”
他摇头，“没，借钱要还，再借不难”
我说：“不急，我们是兄弟。
只是你爱赌钱，我爱看书”
黑子笑了，“没钱，再来借！”

半年后我搬家了
午夜时分，巷子里
总像传来敲窗的声音
“喂，借点钱，救急！”
推开门，却不见人影

农夫的时间

耕地的时候，他总会
看一眼山顶上的小庙
想起那个秋天
与小脚的奶奶上山
拜佛。庙前
挂满的柿子橙红，橙红
把天空晃得通红
后来，柿子落了
山，空了
只有鸟还在叫
只有农夫记得
柿子在树上，在空中，红过
“阿弥陀佛”
他想起了自己和奶奶
走在山路上
心满意足

土灶上的红火

只有当梦醒来
土灶上的红火，温暖的脸
让我不想醒来

炊烟是洗照液
把土灶上的脸的底片
用幸福的颜色一点一点洗出来

如今，故乡是一条乌篷船
老房子停在对岸
渐行渐远，我是纤夫

我的父亲母亲

他们那个时候不会用表情
人都像粗笨的陶碗
心事就像粗粮，必须细嚼慢咽
谈婚论嫁只是一种仪式
他们是皮影戏中被牵扯的偶像
节奏慢得像老式电影——
撒泡尿回来
他们还坐在各自的炕头
灯暗了，嘴还没热乎起来
我的父亲母亲没有故事，也没有细节
他们那时候只能听猫叫
然后在说书人的传奇里
找到一生的记忆

我的 1970 年代

我的 70 年代
每天有个灿烂的早晨
时间，总被狗叫醒
乡村的存在主义
人都很特别

我的 70 年代
雾很空灵，没有霾
政治就是个喇叭
听完了，就牛郎织女

我的 70 年代
脸都是红扑扑的
男人和女人，偶尔
也偷偷摸摸
在油菜地一呆就是半天
进村后又被闲话半天

我的 70 年代
不装高雅，听到×
一窝子都咧着嘴笑
就像今天我捧着某学者的《思想史》
也想咧著嘴笑

我那个小镇

我那个小镇
除了季节，什么都不变
只有日落日出
只有接生和死亡
只有猫叫的春天
我的酩酊大醉的兄弟
为豆腐店的女人吃醋、打架
打完了还是兄弟
我那个小镇，除了
静穆的桥
只有腊八节的喝粥声
和晒在空中的咸鱼干
我的小镇啊
它停泊在梦里水乡
就像天边的月亮
走得再远，还挂在头上

小镇往事

清晨六点，喝茶的老人
古板笨拙。狗戏耍花猫
“卖红菱，卖红菱——”
巷子里的回声
比小镇还真实

午时，女子红着脸
骂唱歌的男人油嘴滑舌
关于豆腐西施的床上戏
每张嘴至少要说三遍
这是小镇唯一不道德的地方

阿哥从城里回来了
少女的夜开满向日葵
灯歇了，枕河的船声还醒着
有了电影不读小说

小镇的女性主义

小镇上，没有好看的
风景
女人就对着河水
看自己，做幸福的傻子
如果还渴望更多
就想象自己
坐上了陌生的小船
以及一路上
可能掠过的事物
冬天的河埠上
打上了一层薄霜
你得小心，又回到了真实
女人的一半
从绒线衣的每一针开始

雪还在下

那一年的雪还在下
灶膛里的火漾出来
映红父亲安详的脸
母亲做着针线，不再唠叨
姐姐在窗口张望
我看着父亲、母亲和姐姐
偶尔看看麻雀有没有爬进网箩
雪还在下，就一直下吧
那么简单的幸福
就怕被太阳一点一点融化
记忆中的雪还在下
如果还在下
就一直这样下吧

阳羡茶

之一

淡淡的，她的柔姿
便是绰约之风了
也许，你曾爱过
恨过
痛过
笑过
甚至哭过，醉过
都不如静下心来，抿一口
那人世的清欢——
形，亭亭玉立
味，近乎永恒

之二

素颜
湛然
柔和
内敛
在水中云卷云舒

喝一口
就足以浮起
整个世界

之三

下午三点，请把时间
让给阳羡茶
请忙里偷闲，来喝茶
茶道至简——
如果用形容词
最多一个“真”字
（加上一个“香”就多了）
请忘掉所有俗套
让给真性情
想怎么泡，就怎么泡
想怎么喝，就怎么喝
一任天然
你懂得呼吸
人生的真味就在其中

之四

几许清冽
数抹淡光
缕缕幽香

我与狮子山对望
把风情珍藏
今晚，我只想做一个隐者
随月下的蝴蝶
在太华山的云片上
洗尘，洗心
直到赶路的马蹄响起
直到歇脚时
再次品味故乡的深味

走在幸福路上

冬天，往南
有个屁孩拉着
妈妈的衣角去外婆家。
老槐树下，小脚的外婆
望着女儿和外孙
一点点走近。
到家了，女儿
还没把狼外婆的故事讲完
也不会讲完——
记得那年我五岁
有个春天，我和妈妈
走在幸福路上，往南
一走就是一辈子

远　山

少年
向往远山
往前走，一直往前走
走到尽头
已是中年
忽然山也淡了
夜，像条狗
吻着沿途的岁月
村头的鸟还在飞
槐树下，已听不见民谣

与谁唱和

读李商隐

无题一

莲花，开了一年又一年
多看的一眼
生出青鸟
沿着一万重的蓬山，飞
一直在飞
直到等你的月亮从屋檐上升起
直到重生的蝴蝶从天边飞来

无题二

只有你和我
对着一座空山
喝茶，已喝了一千年

那天，夕阳不肯离去
挽留那一点暮色中的捕鱼船
岸在等候，很有耐心
月亮害羞
只露出一个背影
一个背影也够了
诗，如果还有诗

无题三

嗫嚅，羞红，半推半就
你走进去了
瓶和花　欢然　默然
找到了单纯的幸福
随心所欲的五月
房间懒懒的
你站在梧桐树下
想说话，却找不到语言

读陈子昂

宇宙苍茫
白茫茫。幽州台
前不见古人
后不见来者
怎一个子昂
念天地之悠悠
了得。“念”这个词
美目流盼，开出一池莲花
独怅然而涕下
泪也下得心碎
洒在荒野中
野蛮生长诗意
传说，瘦长的影子
还伫立在幽州台
一只丹顶鹤驮着，飞向远方

读张爱玲

隔着几座山，还记得
那春天的晚上
你手扶桃树，如此轻盈
“噢，你也在这里吗？”
后来，那月白衫子的背影
沿着后门的小溪
一点点远去
再没有走回来

张爱玲走了
走在无涯的荒野里的
一个春天的晚上
一棵桃树
一件月白衫子
两个无名氏的少男少女
和那声轻轻的问候
“噢，你也在这里吗？”
也没有过多的话

沉香屑

她说："今天他不在家"
后院的栀子花，如此清香
猫是夜的眼睛
她想起小时候
在后墙的葡萄架下痛快地撒尿

楼道里，蹒跚的足步声
近了又远了
熏烟的书房，半掩着
传来均匀的呼吸
墨绿的旗袍上停着一对红蜻蜓
芭蕉绿叶上的雨滴
一夜无眠

贵妃醉酒

有一个微笑只有种花人能懂
你知道，今天是个好日子
“鸳鸯来戏水，金色鲤鱼在水面朝
啊，在水面朝”
卷帘门外，脚步声近了
你的身体忽然如此轻佻
娘娘，你醉了

撩人的月光啊
不过是开了个玩笑
你不过是一只流浪猫
望着镜子里的蝴蝶
在花丛中舞蹈
空空如也
戏散了，醉酒的人
还会与谁签下来世的约定？
就这样，那个晚上给流星拐跑了

会飞的石头

仅仅是一块石头
是石头。粗砺的静物
在冰河中闪着光亮
用低沉的声音吟唱万物
我很傻，像滑板少年
追赶你的影子
沿着河岸线，往前延伸
一石惊起的飞鸟

寂

深秋，月光下
你踏着舞步　浮向
暗蓝色的天空
莲花开了。有只白马
在悬崖上挣扎
前蹄奋力跃起
（传说，穿月白衫的女子
种下了一百里红高粱
你喝了一百坛的好酒）
苍白，虚幻，超现实
天啊，在寂的深处
传来白马嘶鸣的声音

麦田的守望者

我想，我们该坐在五月的麦田
聊天　金黄的颜色
我们晕眩，可以说呓语
关于你撂着袖子
在屋子前洗衣拣菜
眼里满是幸福
我们的孩子在筑城堡
满身是泥巴
风吹来，我眯着眼
什么都不做
就是看着你和孩子
五月的麦田宁静而安详
麦浪传来嬉闹的回声

猫的城

这座城市来了只流浪猫
陪你坐地铁
穿过街心公园
到家了，也会跟进去
看你做饭，哄孩子
周末，你的脸上有 10 种表情
你的睡觉有 10 种姿势
它是猫，趴在窗台上
和你的晚上一起幸福
就怕梦中醒来

浓情巧克力

哦，薇安
你的笑颜是一颗巧克力
小镇的春天，从味觉开始

你来自异乡
能把暗淡的街道
布置成风味十足的
餐桌。红玫瑰开了
小镇学会了调情

巧克力会融化
但不会褪色
就像你的绿裙子
会老去，但不会让记忆死亡
哦，薇安

沈从文的边城

梆子声响起
山的倒影，夜的忧伤

闭着眼，也能看见
爷爷的渡船在沱江的弯月下
飘啊，飘

无愁河，流的都是少女的愁

我清清嗓子
把二傩的山歌学了三天三夜
还只是边城的过客

水车，哗哗地转
吊脚楼，红灯笼

甚　至

甚至暗香浮来
甚至目光
在紫藤上蔓延
甚至听到时间
在风笛中死去一点
甚至你的微笑
从手指缝里穿过
甚至我认真地
打每一行诗
甚至没有见你
也不知道你的名字

手拉壶

一把泥土，因为水、阳光和酵母
有了体温
子夜，黏土成胎
开始呼吸……
淘气的精灵都是坏小子
渴望湿润的嘴唇
柔软的肌肤和橘子林的清香
甚至更多、更美妙的事物
啊，一把壶的生命
都因为遇见了一种魔法
在手指的触碰中拥有
在多看的一眼里消失
现在，让我们闭上眼睛
手拉壶平静如水

苏东坡二首

瘦竹如幽人

門前的竹籬笆
還那樣敞開著
今晚，三分明月歸你
醉了手里的尺八
竹影間，浣紗的朝云
正撐一葉扁舟而來
荷風拂面
低婉語聲是唱晚麼?
柔情似水，水似夢
夢是水邊過往的羚羊……

和山胡（鸟）一起飞

乌台过后，人生
已不需要编剧
整个天空都是你的
飞，就飞吧

与山胡一起飞
活着的重量比羽翼还轻
管它黄州惠州儋州
管它天上人间
此心安处是吾乡
怕，莫听穿林打叶声
何妨吟啸且徐行
冷，且把朝云当蓑衣
一蓑烟雨任平生
再不问：今夕是何年？
飞，把飞都忘了吧
也无风雨也无晴

甜蜜的胡椒地

之一

传说，那块胡椒地
就斜躺在山冈上
炊烟升起时，猩红的花
会哼着歌一路行走
穹顶之下，沙湖之上，有个影子
拥有火星上的春天
哦，我的胡椒地
今晚，暖湿的风吹来，
山羊醉了，地上钻出满坡的蘑菇

之二

早春，胡椒地醒了
原野已脱去冬妆
满地的小红花，鸟飞过
甜蜜的胡椒地想唱歌
野菊花开始呼吸
起伏的山地向它敞开

今晚，那杯茶或咖啡
会长出一颗硬核桃

之三

胡椒地的尽头，还是远方
把今天刻在树上
继续往前走
时间像条狗
吻着沿途的岁月
胡椒地说：那不是迷路，只是在闲逛
傍晚吹来的气息
还在子虚乌有地生长

树会说话

风一样掠过
我望着湖面上
数十只鸟中
唯一的鸟
什么话都没说
那年我十岁
那记忆之树生着很长的
枝桠
一直伸展到今天

王家卫的墨镜及其能指性

有一种电影
没有哭泣，也没有欢笑
只讲春天
关于小巷里的路灯
在窗户上摆动
上个世纪的日记有了呼吸
那双白色的高跟鞋
踩着新感觉，到处是声音
女人重生的那刻
樱花纷纷坠落
一地鸡毛
散场了，王家卫的墨镜
有了能指性
花样年华就这样开始

一个人，没有形容词

下午三点，请让给一个背影
请把街头的张贴画
和纪念会的赞美声
让给一个背影——
形容词只有一个：真实
有人吹着口哨，目送你
你懂得这种呼吸
也没有回头
你和一个春天
走在下午三点的林荫道上

在古道上等候王维

灵石古道像画了个减号 “——”
空留下一条清流
蜿蜒曲折
空留下一片小树林
摆了石桌，等你抚琴
可是，你没有来

会不会是唐朝多雨
你的小毛驴
不敢爬坡，过河？
会不会是——
田夫荷锄至，相见语依依
耽误了行程？

今晚，只有一片空山
和一场下了 1500 年的
新雨
正好，一个禅的王维

长　安

昨夜，三千宠爱的女人
风情万种
昨夜，身体的宗教
输得精光
天亮了，小河边
那完美的莺语流淌在漩涡上
远去的航船
不复梦长安

长恨歌，不应有恨

淮海路的梧桐發黃了
暖色小洋房
精致餐具，各色菜點
門口的紅頭阿三像雕塑

老唱片發嗲
麻將桌失眠
昏暗的路燈下
旗袍，欲望盛開的故事還在上演

今晚，人過中年的女子
在新天地听清口
有個年輕男人
正把頭伸向她耳鬢

访终南山的隐士

那天，你告别了家
就不再回头
在终南山
呼吸山林的空气
采摘新鲜果子
泉水，自然的乐音
流淌在生命河床

影子已降到了最低
甚至没有温度
行走和睡眠
只是与生俱来的姿势
就像星星，在你出生之前就在闪烁

安身的洞穴如此安详
下山时，你背来盐和米
欢闹的街道如镜中花
你转过身，就忘了自己
以及自己的姓名

太阳每天在升起
花朵每天在开放
挂在山涧的瀑布
每天照样在流淌
时间也在流淌，却没有刻度
万物同一，没有差异就没有意义
也不需要意义

今夕是何年？
山外人在说话
你端坐在莲花
一个不灭的定上

诸葛武侯祠

之一

那天你云游回来
茅庐外的叩门声
搅乱了子夜的宁静
三国大戏台
有了你，就有了起承转合
而你的梦中再没有
鸟语花香

之二

你注定是棋手
能坐在四轮车下一手好棋
摇一摇鹅毛扇
便借得东风
七星坛上，呼风唤雨
让阴阳也失去了时序
那天，你袖中的锦囊有了呼吸
木马流车有如神助
痛快淋漓

之三

军帐中，桃园三兄弟都走了
只留下三顾茅庐的叩门声
和三只空空的酒杯
巴山夜雨那么悠长
羽化出一棵那么悠长的银杏树
渡口，一只轻舟
正等你回南阳

之四

在武侯祠
每个仰望你的人
都有一种英雄的表情
三国戏还在开演
我对你三鞠躬
走进锦里的街巷

子夜吴歌

子夜，栀子花开了
有个笑脸如波斯猫
闯进打油诗
我找到了韵脚
以及栀子花开的每一个
细节，迷人的夜晚
诗，独自在生长
以至灵感还没退去
身体就睡着了
天已大白
我还在呼噜的韵律里
两鬓厮磨

最后一班地铁

某年某月某日，午后。
列车开走了，浅灰色
沿铁路线延伸——
你站在那儿　空空如也
废弃的路轨旁
羚羊居无定所
敏感，胆怯，懂巫术
或许，你是其中最后一只
据说每个站台上有三种表情
最好的一种
在最后一班地铁上

坐在树杈上的鸽子

——致特朗斯特羅姆

北极，没有形容词
我在没有形容词的冰面上
读你的诗
湛湛的光照在脸上
切切如私语
灰熊，自己的陌生人
忘了爱、时间与死亡
在雪地上漫游
声音沉默后
空，不增不减
寂，不增不减
一只思考量子纠缠的鸽子
坐在树杈上

书　法

傍晚时分
宣纸洁白无暇
春潮涌动
墨在笔尖臌胀
化成袅袅绕绕一缕轻烟
忽而跳将跃起
一泻千里
流向茂林修竹
曲觞流水的
鹅池，月下
一池会唱歌的鹅卵石

海外游记

在华盛顿郊外喝茶

一个很平常的早晨
7 点整，我坐在阳台上
喝功夫茶，呼吸
郊外清冷的空气
我的漂亮邻居
玛丽
站在溪水中，抽烟，钓鱼
在我的画框里
大红袍，悠然自得的天使
交汇在一个时空
它真实，性感，不及物
华盛顿的早晨
有了一天真实的意义

关于好莱坞

西海岸的阳光
能把身体浮起来。多少人
在贝佛里山庄的树林中
寻找
通往明星大道的密码
女人的名誉
一生只有一次
在山麓的墓碑上
你读着一行行文字
那是在看自己吗？

美国布鲁斯

一群灰姑娘
跳起了印第安舞蹈
仿佛告诉你：幸福的路
都是笔直的，走下去
会找到华尔街的金牛
摸到美国梦的大屁股
自由的美利坚还有张面孔
阿拉斯加的垂钓者
和纽约街头的艺人
他们哼着布鲁斯
流浪在剧情之外

尼亚加拉瀑布

水，上天之水
千树万树的梨花
狂泻下来
汇成三道巨大的白墙
我们，其实我们
微乎其微
在自然力脚下消失
灵魂在惊呼：
尼亚加拉！尼亚加拉！
大地咆哮不止
游船，在漩涡中挣扎
水，现在是大革命暴徒
正义，或许没有正义
风景，一泻千里

城市隐士

还坐在街角。看着每个人
从广告画前经过
你是被美利坚忽略的影子
或曼哈顿公园行走的猫
你与城市有个协议
决不改变一切
不多不少，各走各的
鸽子的伴侣
躲避爱、异物和圣诞节
就像优胜美地的杉树
活得很累，　但决不浪费想象

拉斯维加斯

荒漠中生长的城市
欲望：傲娇的棕榈树
高高挺立，一览无遗
到了夜晚
就为你打开
灯光、香水和身体
招呼白人黑人黄种人
还有阿拉伯兄弟
从四面八方
赶来
在牌桌上淘金
在数位的魔法里举行古老仪式
拉斯韦加斯有一种巫术——
看着自己，走向洗礼的教堂

伦敦的幽默

伦敦的早晨，巴士穿梭
邦德大街熙熙攘攘
憨豆先生已穿戴整齐
说着哑语向你走来
迪拜富豪和他四个老婆
缓缓走在石子路上，一齐仰看
乌云下的大笨钟
泰晤士河岸的张贴画前，三个人
低着头静默走过
伦敦眼流泪了
我撑起雨伞，静默走过

苏格兰小镇

让我在阿伯丁小镇下车
把我留在这里
让我住在红顶小木屋
与笨拙的奶牛为伴
让我呼吸草青味的空气
浮在金黄的无边麦浪上
清晨，迷雾升起
会看到沐浴的女神
袒露在约德肯的画布上
我眯着眼，看着自己
和天使一起筑城堡
城堡的前面，一定有条大路
通往更幸福的地方
你看，约翰正驾着马车
一路口哨去参加赛羊会

法国印象

卢浮宫，奥赛
观念的对立物
仅有一河之隔

红磨坊的地窖里
藏着好酒和一把老枪
“嘘——不能说”

塞纳-马恩省河畔的风景
和画师孤零的背影
像恶之花一样生长

法国，或包法利夫人

巴黎的早晨才象个早晨
树叶沾满露珠
公交车懒懒的，随心所欲
一天开始——
生活有了香水
每天都是好日子
厌倦了，就换换口味
来一道甜点或鸡尾酒
包法利夫人需要一场恋爱
法国需要虎口脱险
哲学反哲学　只为
活着有滋味
你看，萨特正叼着烟斗
与西蒙波娃的情人旅行
并且，亲密无间

法国乡村

放牧在山坡上的红房子
和羊群争喝葡萄酒
把日子过得通红

白云低垂，感叹
教堂的钟声
如何敲响一万年？

尼斯如是说

这个绝美之城
微笑不语
熏衣草拂面时
感觉痒痒的
像有灵异附身
鲁索小道洋洋自得
鸟，很想在沙滩上写日记
问一声尼斯：
“天使湾，我们从哪个星球上
一起落到了这里？”

巴黎第五区

巴黎第五区
穿着白袍的阿拉伯人
与爬满野花的红房子
相映成趣
如此矛盾，
不，美妙至极
塞纳-马恩省河畔，游船
穿过埃菲尔塔巨大的阴影
天空倒映粼粼波光
微风吹来
整个巴黎都在喃喃自语
你看，布洛涅森林的画布上
有辆马车正缓缓而行
一个真实就在那里

法兰西定义

法国的红白蓝
其实不止这三色
还有灰色，玩暧昧
就像你戴的围巾
那种暖暖的体温
迷人的唇音，在语言里只是花腔
香水是一种清新、混乱的表达
就像说：巴黎 5 号线，福柯梦见
普罗旺斯的蝴蝶
或者，女子无辜的眼神
是真的，也许是假的

科林威尔小镇

星星散落一地
山泉奏响夜的冷清
僧侣峰，艾格峰，少女峰
007 的雪橇穿行其间
雪朗峰，那座巨大的时钟
计算山外的变化
今夜生活停摆，瑞士少年
正靠在法国少女的肩头说着闲话
两个老工匠用锋利的小刀
铭刻岁月的虚无
科林威尔月白风清
此刻，邻居还在打呼噜
我在窗口看月亮

韩国蔚山

街头，车辆和人群川流而过
我与雕塑互相打量
揣摩成为朋友的可能
那天，广告上的女明星露出迷人微笑
我转过脸，只关心暂住证
和我的护照在不在袋里
在超市，我用韩币换来大米和中文报纸
回到房间就打开电视
为验证这个世界还有声音
偶尔站在窗口，看着攀爬者
行走在荒凉的山坡上……
四月的蔚山到处开满樱花
没有人懂她的语言
花落时，才会有春天的记忆

月亮和我一样寂寞

睡觉前，在阳台上
我和自己对饮
故乡的月亮照样游来了
树丫上，月亮像懂事的猫
一直这样看我　陪我
那天的晚上不寂寞
直到喝了三杯
我开始对自己说中文
却听不见回声

我与世界的关系

中秋，我怕见月亮
怕见卧室的床
也怕听到“滴——答”的挂钟
今天　我的一切
只是一幅水墨画
（或一座山上的寺庙的钟声）
与街头广告、美食
以及你的祝福
都没有关系

圣诞夜

今晚，城市飘起了
雪花
我坐在窗口沏茶
听 yangpa
就是一遍又一遍唱
那涩涩的低语
夜很简单
就是一遍又一遍播放
一个带电的雪天
仅属于一生中某个圣诞夜的
刺人的
yangpa 的歌声